O DOM SUPREMO

HENRY DRUMMOND

O DOM SUPREMO

Traduzido e adaptado livremente
do sermão "The Greatest
Thing in the World"
por
PAULO COELHO

Rocco

Rio de Janeiro — 1991

Título original
THE GREATEST THING IN THE WORLD

Printed in Brazil/Impresso no Brasil

capa
ANA MARIA DUARTE

revisão
SANDRA PÁSSARO/WENDELL SETÚBAL

CIP-Brasil. Catalogação-na-fonte
Sindicato Nacional dos Editores de Livros, RJ.

Coelho, Paulo, 1947-
C619d O dom supremo / Henry Drummond ; traduzido e adaptado do sermão "A coisa mais importante do mundo" por Paulo Coelho. — Rio de Janeiro : Rocco, 1991.

Tradução e adaptação de: The greatest thing in the world / Henry Drummond.

1. Amor (Teologia). I. Drummond, Henry, 1851-1897. The greatest thing in the world. II. Título.

CDD — 241.4
91-0802 CDU — 241.01

Vês esta mulher?
entrando em tua casa, não me deste água para
os pés; esta, porém, regou meus pés com
lágrimas e os enxugou com seus cabelos.
Não me beijaste; ela, entretanto, desde que
entrei não cessa de me beijar os pés.
Não me ungiste a cabeça com óleo, mas esta
com bálsamo ungiu meus pés.
Por isso te digo: perdoados lhe são os seus
muitos pecados, porque ela muito amou; mas
aquele a quem pouco se perdoa, pouco ama.

LUCAS, 8;44-47

No final do século passado, numa tarde fria de primavera, um grupo de homens e mulheres se reuniu

para escutar o mais famoso pregador daquela época. Eram pessoas vindas de diversos lugares da Inglaterra, ansiosas para ouvir o que o homem tinha a dizer.

Mas o pregador, depois de oito meses percorrendo diversos países do mundo num cansativo trabalho de evangelização, sentia-se vazio. Olhou a pequena platéia, ensaiou algumas frases, e terminou por desistir. O Espírito de Deus não o havia tocado naquela tarde.

Triste, sem saber o que fazer, virou-se para um jovem missionário que estava entre os presentes. O rapaz havia regressado da África há pouco tempo, e talvez tivesse alguma coisa interessante para dizer.

Pediu, então, que o rapaz o substituísse.

As pessoas reunidas naquele jardim em Kent ficaram um pouco desapontadas.

Ninguém sabia quem era o jovem missionário. Na verdade, ele nem era um missionário; havia recusado sua ordenação como ministro, porque não estava seguro de que aquela fosse sua verdadeira vocação.

Ninguém sabia quem era o jovem missionário. Na verdade, ele nem era um missionário; havia recusado sua ordenação como ministro, porque não estava seguro de que aquela fôsse sua verdadeira vocação.

Procurando uma razão para viver, procurando a si mesmo, o rapaz havia passado dois anos no interior da África — entusiasmado com o exemplo de pessoas que iam atrás de um ideal.

As pessoas no jardim em Kent não gostaram da troca. Tinham vindo por causa de um pregador experiente, sábio, famoso. E agora eram obrigadas a ouvir uma pessoa que — assim como elas — ainda lutava para encontrar a si mesma.

Mas Henry Drummond — este era o nome do rapaz — havia aprendido algo.

Henry pediu emprestada uma Bíblia de um dos presentes e leu um trecho da carta que Paulo escreveu aos coríntios:

"Ainda que eu fale as línguas dos homens
e dos anjos, se não tiver amor,
serei como o bronze que soa, ou como
o címbalo que retine.
Ainda que eu tenha o dom de profetizar
e conheça todos os mistérios e toda a ciência;
ainda que eu tenha tamanha fé, a ponto
de transportar montanhas,
se não tiver amor, nada serei.

E ainda que eu distribua todos os
meus bens entre os pobres
e ainda que entregue meu próprio
corpo para ser queimado,
se não tiver amor,
nada disso me aproveitará.

O amor é paciente, é benigno,
o amor não arde em ciúmes,
não se ufana, não se ensoberbece,
não se conduz inconvenientemente,
não procura seus interesses,
não se exaspera,
não se ressente do mal;
não se alegra com a injustiça,
mas regozija-se com a verdade.
Tudo sofre, tudo crê, tudo espera,
tudo suporta.

O amor jamais acaba.
Mas, havendo profecias, desaparecerão;
havendo línguas, cessarão;
havendo ciência, passará.
Porque em parte conhecemos,
e em parte profetizamos.
Quando, porém, vier o que é perfeito,
o que então é em parte será aniquilado.

Quando eu era menino, falava como um
menino, sentia como um menino.
Quando cheguei a ser homem,
desisti das coisas próprias de menino.

Porque agora vemos como em espelho,
obscuramente, e então veremos face a face;
agora conheço em parte, e então
conhecerei como sou conhecido.

Agora, pois, permanecem a Fé,
a Esperança, e o Amor.
Estes três.
Porém, o maior deles é o Amor."

Todos escutaram em silêncio respeitoso. Mas estavam decepcionados. A maior parte ja conhecia o trecho, e já havia meditado longamente sobre ele. O rapaz podia ter escolhido algo mais original, mais palpitante.

Quando acabou de ler, Henry fechou a Bíblia, olhou para o céu, e começou a falar:

Todos nós, em algum momento, já fizemos a mesma pergunta que todas as gerações fizeram:

Qual é a coisa mais importante da nossa existência?

Queremos empregar nossos dias da melhor maneira, pois ninguém mais pode viver pela gente. Então, precisamos saber: para onde devemos dirigir nossos esforços, qual o supremo objetivo a ser alcançado?

Estamos acostumados a escutar que o tesouro mais importante do mundo espiritual é a Fé. Nesta simples palavra se apóiam muitos séculos de religião.

Consideramos a Fé a coisa mais importante do mundo? Pois bem, estamos completamente errados.

Se em algum momento acreditamos nisto, podemos deixar de acreditar.

No capítulo que acabei de ler, fomos conduzidos aos primeiros tempos do Cristianismo. E, como vimos, *"permanecem a Fé, a Esperança, e o Amor, estes três. Porém, o mais importante é o Amor"*.

Não se trata de uma opinião superficial de Paulo, autor daquelas linhas. Afinal de contas, ele estava falando de Fé um momento antes. Ele dizia:

"Ainda que eu tenha tamanha fé, a ponto de transportar montes, se não tiver Amor, nada serei."

Paulo não fugiu do assunto; pelo contrário, comparou a Fé com o Amor. E concluiu:

"(. . .) o maior destes é o Amor."

Deve ter sido muito difícil para Paulo dizer isto. Um homem costuma recomendar aos outros aquilo que, nele, é o ponto forte.

O Amor não era o ponto forte de Paulo. Um estudante com senso de observação irá notar que, à medida que envelhecia, o apóstolo tornava-se mais tolerante, mais terno. Mas a mão que escreveu "porém, o maior destes é o Amor", esteve muitas vezes manchada de sangue na juventude.

Além disso, esta carta aos coríntios não é o único documento a mostrar o Amor como o *summum bonum*, o Dom Supremo. Todas as obras-primas do Cristianismo concordam a este respeito.

Pedro diz: "acima de tudo, porém, tende amor intenso uns para com os outros, porque o amor cobre multidão de pecados".

E João vai mais longe: "Deus é Amor".

Podemos ler, também, em outro texto de Paulo: "o cumprimento da Lei é o Amor".

Por que Paulo disse isto? Nessa época, os homens procuravam chegar até o Paraíso cumprindo os Dez Mandamentos — e as centenas de outros dez mandamentos que eles haviam fabricado tendo como base as Tábuas da Lei. Cumprir a lei era tudo. Era mais importante, inclusive, que viver.

Então Cristo disse: eu vou mostrar a vocês uma maneira mais simples de chegar ao Pai. Se vocês aprenderem isto, podem fazer centenas de outras coisas sem medo de ofender a Deus.

Amor. Se vocês amarem, estão cumprindo a lei, mesmo que não tenham consciência disto.

Podemos verificar por nós mesmos que este conselho funciona.

Peguemos um mandamento qualquer: "Amar a Deus sobre todas as coisas." Eis o Amor.

"Não tomar seu santo nome em vão."

Ousaríamos falar superficialmente de alguém que amamos?

"Guardar domingos e festas."

Não ficamos muitas vezes ansiosos, esperando o dia de encontrar quem amamos para nos dedicarmos ao Amor? Então, se amamos Deus, o mesmo há de acontecer.

O Amor exige que obedeçamos todas as leis de Deus.

Quando um homem ama, é desnecessário exigir que honre seu pai e sua mãe, ou que não mate. Para o homem que quer bem a seu próximo é uma ofensa exigir que não roube — como poderia roubar quem ama? E seria supérfluo pedir que não levante falso testemunho — pois jamais faria isto, como seria incapaz de desejar a pessoa que o outro ama.

Portanto, "o amor é o cumprimento da Lei".

O Amor é a regra que resume todas as outras regras.

O Amor é o mandamento que justifica todos os outros mandamentos.

O Amor é o segredo da vida.

Paulo terminou aprendendo isto, e nos deu, na carta que lemos agora, a melhor e mais importante descrição do *summum bonum*, o Dom Supremo.

Paulo começa por comparar o Amor com outras coisas que, em seu tempo, tinham muito valor para os homens.

Ele compara com a eloqüência; um dom nobre, capaz de tocar os corações e mentes dos seres humanos, e estimulá-los a realizar importantes tarefas sagradas, ou aventuras que vão além dos limites.

Paulo se refere aos grandes pregadores e diz: *"Ainda que eu fale as línguas dos homens e dos anjos, se não tiver amor, serei como o bronze que soa, ou como o címbalo que retine."*

E todos nós sabemos por quê. Muitas vezes escutamos o que pareciam ser grandes idéias de transformação do mundo. Mas são palavras ditas sem emoção, vazias de Amor, elas não nos tocam, por mais lógicas e inteligentes que pareçam ser.

Paulo compara o Amor com a Profecia. Compara com os Mistérios. Compara com a Fé. Compara com a Caridade.

Por que o Amor é mais importante que a Fé?

Porque a Fé é apenas uma estrada que nos conduz até o Amor Maior.

Por que o Amor é mais importante que a Caridade?

Porque a Caridade é apenas uma das manifestações do Amor. E o todo é sempre mais importante que a parte. Além disso, a Caridade é também apenas uma estrada, uma das muitas estradas que o Amor utiliza para fazer com que um homem se una a seu próximo.

E existe, todos nós sabemos disto, um bocado de caridade sem Amor. É muito fácil jogar uma moeda para um pobre na rua. Geralmente é mais fácil fazer isto que deixar de fazê-lo.

Deixamos de nos sentir culpados pelo cruel espetáculo da miséria.

Que grande alívio, por apenas uma moeda! É barato para nós, e resolve o problema do mendigo.

Entretanto, se realmente amássemos aquele pobre, nós faríamos muito mais por ele.

Ou não faríamos nada. Não daríamos a moeda e — quem sabe — a nossa culpa por aquela miséria poderia despertar o verdadeiro Amor.

Paulo então compara o Amor com o sacrifício e o martírio. E eu suplico àqueles que desejam, algum dia, trabalhar para o bem da Humanidade: jamais esqueçam que, mesmo que seus corpos sejam queimados em nome de Deus, se não tiverem Amor, não adianta nada. Nada!

Vocês não podem dar nada mais importante do que reflexo do Amor em suas vidas. Isto é a verdadeira linguagem universal, que nos permite falar chinês, ou os dialetos da Índia. Se algum dia vocês forem a estes lugares, a eloqüência silenciosa do Amor fará com que sejam entendidos por todos.

A mensagem de Fé de um homem está na maneira como vive sua vida, e não nas palavras que ele diz.

Faz pouco tempo, estive no coração da África, perto dos Grandes Lagos. Ali, entrei em contato com homens e mulheres que lembravam-se com carinho do único homem branco que conheceram: David Livingstone. E, ao seguir os passos dele pelo Continente Negro, o rosto das pessoas se iluminava quando me contavam sobre um doutor que por ali havia passado três anos antes. Eles não podiam compreender o que Livingstone dizia. Mas sentiam o Amor que estava presente em seu coração.

Carreguem este mesmo Amor com vocês, e o trabalho de suas vidas estará plenamente justificado.

Vocês não podem possuir nada mais eloqüente que isto, quando forem falar de Deus e do mundo espiritual. De nada adianta seguir adiante — levando relatos de milagres, testemunhos de Fé, belas orações. Se vocês tiverem tudo isto, e esquecerem o Amor, para nada servirá tanto esforço.

Porque vocês podem conseguir tudo. Podem estar prontos para qualquer sacrifício.

Mas se entregarem seus corpos para serem queimados, e não tiverem Amor, isto não significará nada para vocês nem para a causa de Deus.

Depois de comparar o amor com tudo o que já vimos, Paulo — em três versos pequenos — faz uma surpreendente análise do que é este Dom Supremo.

Ele nos diz que o Amor é uma coisa composta de muitas outras.

Como a luz. Aprendemos na escola que, se pegarmos um prisma e fizermos com que um raio de sol o atravesse, este raio se divide em sete cores.

As cores do arco-íris.

Paulo, então, pega o Amor e faz com que atravesse o prisma de sua sensibilidade, dividindo-o nos seus elementos.

Paulo nos mostra o Arco-íris do Amor, como o prisma atravessado por um raio nos mostra o Arco-íris da Luz.

E quais são estes elementos? São virtudes das quais ouvimos falar todos os dias, virtudes que podemos praticar em qualquer momento de nossas vidas.

São estas pequenas coisas, estas virtudes simples, que compõem o Dom Supremo.

O Amor é composto de nove ingredientes:
Paciência: *"O Amor é paciente"*,
Bondade: *"é benigno"*,
Generosidade: *"o amor não arde em ciúmes"*
Humildade: *"não se ufana nem se ensoberbece"*,
Delicadeza: *"O amor não se conduz inconvenientemente"*,
Entrega: *"não procura seus interesses"*
Tolerância: *"não se exaspera"*
Inocência: *"Não se ressente do mal."*
Sinceridade: *"não se alegra com a injustiça, mas regozija-se com a verdade."*

Paciência. Bondade. Generosidade. Humildade. Delicadeza. Entrega. Tolerância. Inocência. Sinceridade. Estas coisas compõem o bem supremo, estão na alma do homem que quer estar presente no mundo e próximo a Deus.

Todos estes dons estão relacionados com a gente, com a nossa vida diária, com o hoje e com o amanhã, com a Eternidade.

Nós sempre escutamos falar muito do Amor a Deus.

Mas Cristo nos fala do Amor ao homem.

Nós buscamos a paz nos Céus.

Cristo busca a paz na Terra.

A Busca do Ser Humano para responder sua principal pergunta — "a que devo dedicar minha existência?" — não é uma coisa estranha ou imposta. Ela está presente em todas as civilizações, mesmo que estas não se comuniquem. Porque nasceu junto com o homem, e reflete o sopro do Espírito Eterno neste mundo.

O Dom Supremo também reflete este sopro. Não é apenas um Dom em si, mas a soma de várias atitudes e palavras de nosso dia-a-dia.

O Amor é **Paciência**.

Este é o comportamento normal do Amor, esperar com calma, sem pressa, sabendo que em determinado momento ele poderá se manifestar.

Está pronto para fazer seu trabalho na hora certa, mas aguarda com calma e mansidão.

O Amor é paciente. Agüenta tudo.
Acredita em tudo.
Tudo espera.
Porque o Amor é capaz de entender.

Bondade. Amor ativo.

Já repararam que Cristo utilizou grande parte do seu tempo no mundo sendo bom para os outros, deixando os outros contentes?

Utilizou grande parte do pouco tempo que tinha na Terra para fazer feliz seus contemporâneos?

Procure olhar por este ângulo, e notará que, embora Cristo tivesse muito o que fazer, não esqueceu de ser carinhoso para com o próximo.

Existe apenas uma coisa mais importante que a felicidade: é a santidade. Isto não está ao nosso alcance. Mas está ao nosso alcance fazer os outros felizes. Deus colocou isto em nossas mãos, e não nos custa quase nada. Se olharmos com cuidado, verificaremos que não nos custa absolutamente nada.

Mesmo assim, por que relutamos em alegrar nosso próximo? A felicidade não é um bem que se multiplica em cativeiro, nem é nada que diminui quando se dá. Ao contrário, somente semeando felicidade é que conseguimos aumentar nossa cota.

"A coisa mais importante que podemos fazer por um pai", disse alguém certa vez, "é ser amável com seus filhos."

Como o mundo precisa disto!

E como é fácil ser amável. O efeito é imediato e seu autor é lembrado para sempre.

E como a recompensa é abundante — pois não existe dívida mais honrada que a dívida do Amor. O Amor nunca falha.

O Amor é a verdadeira energia da vida. Como diz Browning:

pois a Vida, com todos os seus momentos
[de alegria e tristeza
e esperança, e medo,
é apenas a chance para aprender o Amor
como o Amor pode ser, como foi, e
[como é.

Onde existe Amor, existe o ser humano, e existe Deus.

Aquele que se alegra no Amor, se alegra com o ser humano, e se alegra em Deus.

Deus é Amor. Portanto: **AME!**

Sem distinção, sem hora marcada, sem adiamentos, sem medo de sofrer: **AME!**

Derrame generosamente seu amor sobre os pobres, o que é fácil; e sobre os ricos, que desconfiam de todos, e não conseguem enxergar o Amor de que tanto necessitam; e sobre seus semelhantes — o que é muito difícil. É com nossos semelhantes que somos mais egoístas. Muitas vezes *tentamos agradar,* mas o que precisamos fazer é *dar alegria.*

Dê alegria. Jamais perca uma oportunidade de dar alegria ao próximo, porque você será o primeiro a se beneficiar disto mesmo que ninguém saiba o que você está fazendo. O mundo à sua volta ficará mais contente, e as coisas serão muito mais fáceis para você.

Eu estou neste mundo, vivendo o presente. Qualquer coisa boa que eu possa fazer, ou qualquer alegria que puder dar aos outros, por favor, digam-me. Não me deixem adiar ou esquecer, pois jamais tornarei a viver este momento novamente.

Generosidade. *"O amor não arde em ciúmes."* O Amor não inveja. "Arder em ciúmes" significa: amar competindo com o amor dos outros.

Deixe que os outros amem. E procure amar mais ainda.

Dê a sua parte, dê o melhor de si.

Sempre que você quiser praticar uma boa ação, encontrará pessoas que fazem a mesma coisa, às vezes de uma maneira muito melhor que a sua. Não os inveje.

A inveja é um sentimento dirigido àqueles que estão ao nosso lado, geralmente tentando destruir o que há de melhor nesta pessoa. A inveja é o sentimento mais desprezível que um homem pode ter. Está sempre esperando para arrasar tudo o que os outros fazem; mesmo que seja o melhor para nós.

E a única maneira de escapar à inveja é concentrando forças no Amor.

Apenas uma coisa temos que invejar: a grande, rica e generosa alma daqueles que conhecem um Amor que "não arde em ciúmes".

E então, depois de aprender tudo isto, temos que aprender mais uma coisa: **humildade.** Colocar um selo em nossos lábios, e esquecer nossa paciência, nossa bondade, nossa generosidade. Depois que o Amor penetrou em nossas vidas, e realizou seu belo trabalho, devemos ficar quietos e não dizer nada.

O Amor se esconde, inclusive, de si mesmo.

O Amor evita a auto-satisfação.

O Amor *"não se ufana, nem se ensoberbece".*

O quinto ingrediente é algo que pode parecer estranho e inútil neste Arco-íris do Amor: **delicadeza**. Este é o amor entre os homens, o amor na sociedade. Muitas pessoas costumam dizer que delicadeza é um sentimento supérfluo.

Não é verdade: delicadeza é o Amor manifesto nas pequenas coisas.

O Amor **não consegue** ser agressivo ou inconveniente, não consegue comportar-se de maneira errada. Você pode ser a pessoa mais tímida do mundo, mais despreparada para lidar com o próximo — mas, se tiver um reservatório de amor em seu coração, sempre agirá da maneira certa.

Carlyle dizia: Robert Burns é mais nobre que toda a nobreza da Inglaterra, porque consegue amar tudo — o rato, a margarida, todas as coisas grandes e pequenas que Deus fez. Assim, com este passaporte, Burns podia conversar com qualquer pessoa, visitar palácios e dormir em cabanas.

Você sabe o que quer dizer "nobre". Significa alguém que age de maneira digna. Este é o mistério do Amor.

Quem possui Amor em seu coração, não pode agir grosseiramente, ao passo que o falso nobre, aquele que é apenas esnobe, está preso a seus sentimentos e não consegue amar.

"O Amor não se conduz inconvenientemente."

Entrega. O Amor não procura seus interesses, não busca a si mesmo.

O Amor não busca sequer aquilo que é seu.

Na Inglaterra, como em muitos outros países, os homens procuram lutar — e com toda razão — pelos seus direitos. Mas há momentos — momentos muito especiais — em que podemos inclusive abrir mão destes direitos.

Paulo, porém, não nos exige isto. Porque ele sabe que o Amor é algo tão profundo que quem ama ignora qualquer recompensa.

Ama-se porque o Amor é o Dom Supremo, e não porque ele nos dá algo em troca.

Não é difícil abrir mão de nossos direitos — afinal de contas, eles são coisas fora de nós, ligadas à nossa relação com a sociedade. O que é difícil é abrir mão de nós mesmos.

Mais difícil ainda é não procurar alguma recompensa para nós mesmos quando amamos.

Geralmente procuramos, compramos, conquistamos, merecemos, atingimos o melhor — e podemos, num gesto nobre, abrir mão da recompensa. Mas eu falo de não buscar.

Id opus est. Esta é a obra. O Amor basta a si mesmo.

"Você procura grandes coisas em sua vida?", pergunta o profeta. "Não as procure." Por quê? Porque não existe grandeza nas *coisas*. As coisas não podem ser maiores do que elas mesmas. A única grandeza que existe é na entrega proporcionada pelo Amor.

Sei que é muito difícil abrir mão de uma recompensa.

Mas é muito mais difícil não buscar uma recompensa naquilo que fazemos.

Não, não devo falar desta maneira. Na verdade, nada é difícil para o Amor. Acredito realmente que o fardo do Amor seja suave. O "fardo" é apenas Sua maneira de viver a vida. E, tenho certeza, é também a maneira mais fácil de viver, porque o Amor que não busca recompensas é capaz de preencher cada minuto da existência com sua luz.

A lição mais presente em todos os ensinamentos espirituais nos diz: não existe felicidade em ter e receber; apenas em dar.

Repito: **não existe felicidade em ter e receber. Apenas em dar.**

Quase todo mundo, neste momento, está seguindo uma pista falsa para chegar até a casa da Felicidade. Pensa-se muito em ter e receber, em exibir, em conquistar, em ser servido um dia pelos outros. Isto é o que a maior parte das pessoas chama realização.

Realização, entretanto, é dar e servir. O que quiser ser maior entre todos vocês, disse Cristo, que sirva a seu próximo. Quem quiser ser feliz deve colocar no Amor o seu encontro com a vida. O resto não tem importância.

O próximo ingrediente é **tolerância**. *"O amor não se exaspera."*

Somos inclinados a julgar a intolerância como um defeito de família, uma característica da personalidade, uma distorção da natureza, quando na verdade deveríamos considerá-la uma verdadeira falha do caráter do homem. Em razão disso, na análise que faz do Amor, Paulo cita a tolerância. E a Bíblia, em muitas outras passagens, cita a intolerância como elemento mais destruidor da nossa maneira de agir.

O que mais me impressiona é que a intolerância, o preconceito, está sempre presente na vida de pessoas que se julgam virtuosas. Geralmente é a grande mancha numa personalidade que tinha tudo para ser gentil e nobre. Conhecemos muitas pessoas que são quase perfeitas mas que — de repente — acham que estão certas em alguma coisa e perdem a cabeça por causa disto.

Esta suposta boa relação entre a virtude e a intolerância é um dos mais tristes problemas da raça humana e da sociedade.

Na verdade, existem dois tipos de pecado: pecados do **corpo** e pecados do **espírito**. Em certa parábola do Novo Testamento, o Filho Pródigo abandona sua família e sai pelo mundo, enquanto o irmão mais velho fica junto ao pai. Depois de muitas desgraças, o Filho Pródigo resolve voltar, e o pai dá uma grande festa em sua homenagem. Ao saber disso, o irmão mais velho revolta-se contra o pai: "Não fiquei aqui ao seu lado este tempo todo, trabalhando, enquanto ele gastava sua herança?", pergunta.

Podemos considerar que o Filho Pródigo comete o primeiro tipo de pecado, enquanto o irmão, o segundo. A sociedade, curiosamente, garante saber qual dos dois tipos de pecado é o pior, e sua condenação cai, sem sombra de dúvida, sobre o Filho Pródigo. Mas será que estamos certos?

Não temos nenhuma balança para pesar o pecado dos outros, e "melhor" ou "pior" são apenas duas palavras do vocabulário. Mas eu vos digo: faltas mais sofisticadas podem ser muito mais graves do que as simples e óbvias.

Aos olhos Daquele que é Amor, um pecado contra o Amor é cem vezes pior. Não existe nenhum vício, ou desejo, ou avareza, ou luxúria, ou embriaguez que seja pior que um temperamento intolerante.

Por tornar a vida amarga,
por destruir comunidades,
por acabar com muitas relações,
por devastar lares,
por sacudir homens e mulheres de suas bases,
por tirar toda a exuberância da juventude,
por seu poder gratuito de produzir miséria, a intolerância não tem concorrentes.

Olhamos para o irmão mais velho, correto, trabalhador, paciente, responsável. Vamos dar a ele todo o crédito de suas virtudes — olhemos para este rapaz, para esta criança que agora se encontra na porta da casa, diante de seu pai.

"Ele se indignou", nós lemos, "e não queria entrar". Como a atitude do irmão deve ter afetado o Filho Pródigo! E quantos filhos pródigos são mantidos fora do Reino de Deus por causa destas pessoas sem amor, que garantem estar do lado de dentro!

Como devia estar o rosto do irmão mais velho ao dizer aquelas palavras? Coberto por uma nuvem de ciúme, raiva, orgulho, crueldade, certeza de que havia agido sempre direito. Determinação, ressentimento, falta de caridade. São estes os ingredientes desta alma escura e sem amor. São estes os ingredientes da intolerância e do preconceito.

E todos nós, que já sofremos este tipo de pressão muitas vezes na vida, sabemos que estes pecados são muito mais destruidores do que os pecados do corpo.

Não falou o próprio Cristo a este respeito, quando disse que as prostitutas e os pecadores entrariam primeiro no Reino dos

Céus, na frente dos sábios escribas de sua época?

Não existe lugar no Reino para os preconceituosos e os intolerantes. Um homem preconceituoso conseguiria tornar o Paraíso insuportável para si e para os outros.

Se o intolerante não nascer de novo, deixando de lado tudo aquilo que julga intocável e certo, ele não pode simplesmente *não pode* — entrar no Reino dos Céus.

Porque, para entrar no Reino dos Céus, o homem precisa carregar o Paraíso em sua alma.

Reparem! Enquanto falava, eu me exasperei. E uma bolha da intolerância subiu, mostrando algo podre lá no fundo. Este é um grande teste para o Amor, saber que por mais que tentemos, não conseguimos quase nunca a paz necessária para que o Amor floresça. Vejam como as partes mais ocultas da alma aparecem quando baixamos a guarda. E de repente, pregando a generosidade, a humildade, a paciência, a cortesia, a entrega, me exaltei.

Cometi o vício de quem fala em virtude: a intolerância manifestou-se.

Vemos que não basta apenas falar de preconceitos ou lidar com eles. Temos que ir até onde eles se escondem, mudar o que há de mais íntimo em nossa própria natureza. Só assim os sentimentos de raiva morrerão por si mesmos. E nossas almas serão mais suaves — não porque colocaram a agressividade para fora, mas porque colocaram o Amor para dentro.

Deus é Amor. Um Amor que, ao nos penetrar, suaviza, purifica, e a tudo transforma. Afasta o que está errado, renova, regenera, reconstrói o interior do homem.

O poder da vontade não transforma o homem.

O tempo não transforma o homem.

O Amor transforma.

Portanto, deixem o Amor entrar. Lembrem-se: isto é uma questão de vida ou de morte. De nada adianta eu estar aqui falando sobre o amor se sou incapaz de despertá-lo. "Melhor seria que se lhe pendurasse ao pescoço uma pedra de moinho e fosse atirado ao mar do que fazer tropeçar a um destes pequeninos."

Ou seja: melhor não viver que não amar.

Melhor não viver que não amar.

Vamos falar pouco de **inocência e sinceridade.** As pessoas que mais nos influenciam, mais nos tocam, são aquelas que acreditam no que dizemos. Num ambiente de mútua suspeita, as pessoas se retraem.

Diante da inocência, porém, todos nós crescemos. Encontramos coragem e amizade junto de quem acredita em nós.

Quem nos entende, pode nos transformar.

É muito bom saber que, aqui e ali, ainda existem certas pessoas que não ficam ressentidas com o mal porque sabem a importância do bem que estão fazendo. Estas pessoas cresceram aos olhos dos homens e de Deus. Não temem a inveja ou a indiferença. Porque o Amor "não se ressente do mal", vê sempre o lado bom, coloca o melhor de si para funcionar.

E, de novo, quem ama é quem sai ganhando, embora não procure nenhuma recompensa. Que maravilhosa é a vida daqueles que estão sempre na luz! Que estímulo, que bênção, passar um dia inteiro sem ressentir-se com qualquer mal.

Fazer com que as pessoas confiem em nós é estar muito perto do Amor. E só vamos conseguir isto se confiarmos nas pessoas. O pouco que os outros podem nos ferir por causa da nossa atitude inocente, não significa nada perto da alegria que vamos passar e sentir diante da vida. Não será mais necessário carregar pesadas armaduras, incômodos escudos, armas perigosas. A inocência nos protege.

Só podemos ajudar alguém, se nele confiarmos. Pois o respeito pelos outros termina fazendo com que recuperemos o respeito por nós mesmos.

Se acreditamos que uma pessoa pode melhorar, e esta pessoa sente que a consideramos igual a nós mesmos, terá ouvidos para nossas palavras. Acreditará que pode se tornar uma pessoa melhor.

"O amor não se alegra com a injustiça, mas regozija-se com a verdade." Chamei este ingrediente de **sinceridade**.

Aquele que sabe amar, ama a Verdade tanto quanto o seu próximo. Alegra-se com a Verdade — mas não com a verdade que lhe foi ensinada.

Não com a verdade das doutrinas.

Nem com a verdade das igrejas.

Nem com este ou aquele "ismo".

Ele se alegra *na Verdade*. Busca a Verdade com uma mente limpa, humilde, e sem preconceitos ou intolerância — e acaba ficando satisfeito com o que encontra.

Talvez a palavra *sinceridade* não seja a melhor para explicar esta qualidade do Amor, mas não consigo encontrar nenhuma outra. Não estou falando da sinceridade que humilha o próximo, aquela que usa o erro dos outros para mostrar o quanto somos bons. O verdadeiro Amor não consiste em expor aos outros a sua fraqueza, mas aceitar tudo, alegrar-se ao ver que as coisas são melhores do que os outros disseram.

Chega de analisar o Amor. Agora temos que nos esforçar para que todos estes ingredientes passem a fazer parte de nós mesmos.

Este deve ser nosso objetivo no mundo: aprender a amar.

A vida nos oferece milhares de oportunidades para aprender a amar. Todo homem e toda mulher, em todos os dias de suas vidas, têm sempre uma boa oportunidade de entregar-se ao Amor. A vida não é um longo feriado, mas um constante aprendizado.

E a mais importante lição que temos é: aprender a amar.

Amar cada vez melhor.

O que faz do homem um grande artista, um grande escritor, um grande músico?

Prática.

O que faz do homem um grande homem?

Prática. Nada mais.

O crescimento espiritual aplica as mesmas leis usadas pelo corpo e pela alma. Se um homem não exercita seu braço, jamais terá músculos. Se não exercita sua alma, jamais terá fortaleza de caráter, nem ideais, nem a beleza do crescimento espiritual.

O Amor não é um momento de entusiasmo.

O Amor é uma rica, forte e generosa expressão de nossas vidas — a personalidade do homem em seu mais completo desenvolvimento.

E, para construir isto, precisamos de uma prática constante.

O que fazia Cristo na carpintaria?

Praticava.

Embora perfeito, aprendia — todos nós já lemos sobre isto. E assim ele crescia em sabedoria, para Deus e para os homens.

Procure ver o mundo como um grande aprendizado de Amor, e não fique lutando contra aquilo que acontece em sua vida. Não reclame por precisar estar sempre atento, ser obrigado a viver em ambientes mesquinhos, cruzando com almas pouco desenvolvidas.

Esta foi a maneira que Deus encontrou para você **praticar**.

E não se assuste com as tentações. Não se surpreenda com o fato de elas estarem sempre à sua volta, e não se afastarem — apesar de tanto esforço e tanta prece. É desta maneira que Deus trabalha sua alma.

Tudo isto o está ensinando a ser paciente, humilde, generoso, entregue, delicado, tolerante. Não afaste a Mão que esculpe sua imagem, porque esta Mão também mostra o seu caminho.

Esteja certo de que você está ficando mais belo a cada minuto que passa — e, embora não perceba, dificuldades e tentações são as ferramentas utilizadas por Deus.

Lembre-se das palavras de Goethe: "*O talento se desenvolve na solidão; o caráter no rio da vida.*"

O talento se desenvolve na solidão; a prece, a Fé, a meditação, a visão clara da vida.

Mas o caráter só pode crescer se fizermos parte do mundo.

Porque é no mundo que aprendemos a Amar.

Pois bem. Eu mostrei alguns aspectos do Amor, para facilitar nossa compreensão a respeito de Deus e do próximo.

Mas são apenas aspectos. O Amor jamais pode ser definido.

A luz é muito mais que a soma de seus componentes — é algo que brilha, fulgurante, no espaço.

E o Amor é muito mais que a soma de todos os seus ingredientes — é uma coisa viva, palpitante, divina.

Se misturarmos todas as cores do Arco-íris, tudo que conseguimos criar é a cor branca — não conseguimos fazer a luz.

Da mesma maneira, ao sintetizar todas as virtudes das quais falamos, podemos nos tornar virtuosos, mas não quer dizer que tenhamos aprendido a amar.

Então, como vamos trazer o Amor para dentro de nossos corações?

Vamos trabalhar nossa vontade, para mantê-lo sempre próximo.

Vamos tentar copiar os que aprenderam a amar.

Vamos esquecer todas as regras que nos ensinaram sobre o que é o Amor, inclusive estas minhas palavras.

Vamos orar.

Vamos vigiar.

Nada disso, porém, vai nos fazer amar, porque o Amor é um **efeito**, E só ao conhecermos a causa, o efeito se manifesta.

Devo dizer qual é esta causa?

Se lermos a Versão revisada da Primeira Epístola de João, vamos encontrar as seguintes palavras:

"Nós amamos porque Ele nos amou primeiro."

Está escrito: "nós amamos", e não "nós O amamos", como traduziram antes, de maneira errada.

"Nós amamos porque Ele nos amou primeiro." Reparem na palavra **porque**.

Esta é a causa a que me refiro.

Porque Ele primeiro nos amou, o efeito — conseqüentemente — é que nós amamos.

Somos todos manifestações do Amor.

Amamos a Ele, amamos a nós mesmos, amamos a todos.

É assim. Nosso coração vai aos poucos se transformando. Contemplem o amor que lhes é dado, e saberão como amar.

Você não pode se obrigar a amar, e tampouco pode obrigar a qualquer pessoa. Tudo que pode fazer é olhar o Amor, apaixonar-se por ele, e copiá-lo.

Ame o Amor. Olhe o grande sacrifício que Ele propôs a si mesmo. Ao amá-lo, você se tornará como Ele.

O Amor produz Amor.

Coloque uma peça de ferro numa fonte de eletricidade, e você levará um choque. É um processo de indução. Ou a coloque perto de um ímã, e esta peça também se transformará em um ímã enquanto estiver ali.

Permaneça perto de Quem nos amou, e você será imantado por esse Amor.

Qualquer homem que buscar esta Causa, terá o seu Efeito.

Tente livrar-se do preconceito de que a Busca Espiritual existe por acaso, ou capricho, ou por nosso gosto por mistério. Ela está aí por causa de uma lei natural — ou melhor, espiritual, porque é uma lei divina. Edward Irving visitava um menino que estava morrendo. Ao entrar no quarto, colocou a mão na testa do garoto e disse: "Garoto, Deus te ama."

Não disse mais nada. Saiu em seguida.

O garoto levantou-se, chamou todas as pessoas da casa, e gritava: "Deus me ama! Deus me ama!" A mudança foi completa; a certeza de que Deus o amava lhe deu forças, destruiu o que havia de mal, e permitiu sua transformação.

Da mesma maneira, o Amor derrete o mal que existe no coração de um homem, e o transforma em uma nova criatura — paciente, humilde, tolerante, gentil, entregue, sincera.

Não existe nenhuma outra maneira de conseguir amar — e tampouco há qualquer mistério sobre isto. Nós amamos os outros, amamos a nós mesmos, amamos nossos inimigos, porque, primeiro, fomos amados por Ele.

Falta acrescentar muito pouca coisa sobre as razões que levaram Paulo a considerar o Amor como o Dom Supremo.

Falta apenas analisar a principal razão. Algo muito importante, que pode ser resumido numa frase curtíssima:

o Amor permanece.

"O Amor", insiste Paulo, *"jamais acaba"*. Então ele nos dá mais uma de suas maravilhosas listas. Fala de assuntos que eram importantes em sua época. Coisas que todos garantiam ser eternas.

E mostra como são frágeis, temporárias, agonizantes.

"Havendo profecias, desaparecerão."

Naquele tempo, o sonho de todas as mães era que seus filhos se tornassem profetas. Durante séculos e séculos Deus tinha escolhido falar ao mundo por meio dos profetas, e estes eram mais poderosos que os Reis. Os homens esperavam, aflitos, que chegasse um novo mensageiro do Alto, e o honravam quando ele aparecia.

Paulo é implacável: *"Havendo profecias, desaparecerão."*

A Bíblia está repleta de profecias. Mas, na medida em que foram transformadas em realidade, perderam seu verdadeiro sentido. Desapareceram como profecias, para se tornarem apenas o alimento da fé de homens piedosos.

Então, Paulo fala sobre as línguas.

"Havendo línguas, cessarão", diz ele.

Tanto quanto sabemos, já se passaram milhares de anos desde que as primeiras línguas surgiram sobre a face da Terra. Elas ajudaram o homem a se organizar, crescer, e sobreviver num mundo perigoso e hostil. Onde estão estas línguas?

Desapareceram.

Os egípcios construíram pirâmides e gravaram sua escrita em monumentos que permanecem até hoje. Ainda existem como nação, mas sua língua original desapareceu.

Considere estes exemplos da maneira que você quiser — inclusive no sentido literal.

Embora não fosse esta a principal preocupação de Paulo, pelo menos podemos entender melhor o que ele estava falando. A carta aos coríntios, que lemos e que discutimos durante todo este tempo, foi escrita originalmente em grego antigo.

Se formos até a Grécia com o texto original, pouquíssimas pessoas seriam capazes de decifrá-lo.

Há mil e quinhentos anos atrás, o latim dominava o mundo. Hoje não significa mais nada. Reparem as línguas indígenas: estão desaparecendo. A língua original do País de Gales, ou a da Escócia, está morrendo diante de nossos olhos.

O livro mais popular da Inglaterra — com exceção da Bíblia — é *Pickwick Papers*, de Charles Dickens. Foi quase todo escrito num inglês falado pelas pessoas nas ruas. Pois bem: estudiosos nos garantem que, em cinqüenta anos, este livro será ilegível para o leitor comum.

Então, Paulo vai mais longe e acrescenta, com ênfase: *"havendo ciência, passará"*.

Onde está a ciência dos antigos? Sumiu por completo. Hoje, um menino de escola secundária conhece muito mais coisas que Sir Isaac Newton — o descobridor da Lei da Gravidade — conhecia em sua época. O jornal que nos traz as novidades da manhã é jogado fora quando chega a noite. Compramos enciclopédias de dez anos atrás por apenas alguns tostões — porque as conquistas científicas que estão em suas páginas já foram completamente ultrapassadas.

Reparem como a carruagem puxada a cavalo foi substituída pelo vapor. E como a eletricidade, por sua vez, ameaça superar o vapor, jogando no esquecimento centenas de invenções que apenas acabaram de nascer. Uma das maiores autoridades dos dias de hoje, Sir William Thomson, garante: "O motor a vapor em breve deixará de existir."

"Havendo ciência, passará."

Vemos no fundo dos quintais algumas rodas velhas, peças quebradas, objetos de ferro corroídos pela ferrugem; vinte anos atrás, estas mesmas peças faziam parte de objetos que eram o orgulho de seu dono.

Agora não representam mais nada, a não ser um estorvo do qual não conseguimos nos livrar.

Toda ciência e toda filosofia de nossa época, de que tanto nos orgulhamos, um dia envelhecerão.

Alguns anos atrás, a maior autoridade de Edimburgo era Sir James Simpson, o descobridor do clorofórmio e o precursor da anestesia. Recentemente, o bibliotecário da universidade onde Sir James Simpson lecionava, pediu ao sobrinho do cientista que se livrasse dos livros do tio. Estes já não tinham qualquer interesse para os novos estudantes.

O sobrinho disse ao bibliotecário: "Não são apenas os livros de meu tio. Qualquer livro científico com mais de dez anos deve ser levado para o porão."

Sir James Simpson era uma pessoa mundialmente importante; cientistas de todas as partes do planeta vinham consultá-lo.

Entretanto, suas descobertas — e quase todas as outras descobertas de sua época — foram superadas.

"Porque agora vemos como num espelho, obscuramente."

Vocês podem me dizer algo que permaneça para sempre? Paulo deixou de mencionar muitas coisas. Não falou em dinheiro, fortuna, fama; limitou-se apenas às coisas importantes do seu tempo, às coisas a que se dedicavam os melhores homens da sua época. E as colocou, decididamente, de lado.

Paulo nada tem contra as coisas em si; não falou mal delas. Tudo que disse foi que elas não durariam. Eram coisas importantes, mas não eram dons supremos.

Existia algo além delas.

O que somos é mais do que fazemos, e muito mais do que possuímos. Muitas coisas, que os homens chamam de pecado, não são pecados; são sentimentos e deslizes que desaparecem rápido.

Efêmeros.

Este é um argumento favorito do Novo Testamento. João não nos diz que o mundo está errado; diz que "passará".

Existem muitas coisas no mundo que são belas; coisas que nos entusiasmam e nos engrandecem.

Mas não vão durar. Todo o reino deste mundo, o deslumbramento de visão, os prazeres da carne, o orgulho, tudo existe apenas por um breve momento.

Por isso, não deixe que seu amor se prenda às coisas do mundo. Nada que o mundo contém vale a dedicação e o tempo de uma alma imortal. A alma imortal deve entregar-se a algo que é imortal.

E as únicas coisas imortais são *"a fé, a esperança e o amor"*.

Alguns podem dizer, inclusive, que duas destas coisas também passam: a fé, quando sentimos e vivemos a presença de Deus, e a esperança, quando é satisfeita e preenchida.

Mas, com toda certeza, o Amor continuará presente.

Deus, o Eterno Deus, é Amor. Busquem, portanto, o Amor — este momento eterno, a única coisa que vai permanecer quando a própria raça humana tiver chegado ao final de seus dias. O Amor será sempre a única moeda corrente aceita no Universo, quando todas as outras moedas, de todas as nações, tiverem perdido seu uso e seu valor.

Se vocês querem se entregar a muitas coisas, entreguem-se primeiro ao Amor — e tudo o mais lhes será acrescentado. Dê a cada coisa o seu devido valor.

Dê a cada coisa apenas o seu devido valor.

Permitam pelo menos que o grande objetivo de suas vidas seja o de conseguir forças suficientes para defender esta idéia, e construir uma existência usando o Amor como principal referência. Como fez Cristo, que construiu toda a sua obra em cima do Amor.

Eu comentava que o Amor é eterno. Já repararam como João o associa, várias vezes, à Vida Eterna? Quando eu era criança, me diziam que "Deus amou o mundo de tal maneira que deu seu Filho Unigênito para que todo que Nele crê não pereça, mas tenha a vida eterna".

Os mais velhos diziam então — lembrome bem — que Deus amou tanto o mundo que, se confiássemos Nele, teríamos paz, descanso, alegria, ou segurança. Eu tive que descobrir por mim mesmo que não era bem assim. Que, na verdade, todos aqueles que confiassem Nele — isto é, que O amassem, pois a confiança é uma avenida pela qual o Amor caminha — teriam, isto sim, a Vida Eterna.

Os textos sagrados nos falam de uma nova vida. Não ofereça ao próximo apenas a paz, ou o descanso, ou a segurança. Em vez disso, conte como Cristo veio ao mundo para dar ao homem uma vida mais cheia de Amor — e, por isso mesmo, abundante em salvação, longa o suficiente para que possamos nos dedicar ao aprendizado do Amor.

Só assim as palavras do Evangelho fazem sentido, e podem tocar o corpo, a alma e o espírito, dando a cada uma destas partes uma orientação e uma finalidade.

Muitos dos textos espirituais que vemos hoje são dirigidos apenas a uma parte do homem.

Oferecem Paz, mas não falam em Vida.

Discutem a Fé, e esquecem o Amor.

Contam sobre a Justiça, e não tocam na Revelação.

E o homem termina se afastando da Busca Espiritual, porque esta foi incapaz de mantê-lo em sua trilha.

Não cometamos estes erros. Que fique sempre claro para nós que só o Amor Total pode competir com o amor deste mundo.

Amar abundantemente é viver abundantemente.

Amar para sempre é viver para sempre. A Vida Eterna está completamente acorrentada ao Amor.

Por que queremos viver para sempre? Porque desejamos que o dia de amanhã nos traga alguém que amamos. Porque queremos conviver mais um dia com a pessoa que está ao nosso lado. Porque queremos encontrar alguém que mereça nosso amor, e que saiba, por sua vez, nos amar como achamos que merecemos.

Por isso, quando um homem não tem ninguém que o ame, sente uma profunda vontade de morrer. Enquanto ele tiver amigos, gente que ele ama e que o ama, ele viverá.

Porque viver é amar.

Até mesmo o amor por um animal de estimação — um cachorro, por exemplo — pode justificar a vida de um ser humano. Mas se ele não tiver mais este laço de amor com a vida, desaparece também qualquer razão para continuar vivendo.

A "energia da vida" falhou.

Participar da Vida Eterna significa conhecer o Amor. Deus é Amor. João diz: "Estamos no verdadeiro, em seu Filho. Este é o verdadeiro Deus e a Vida Eterna."

Seja qual for sua crença, ou sua Fé, busque primeiro o Amor. E o resto lhes será acrescentado.

Pois o Amor precisa ser eterno. Porque Deus o é.

Amor é Vida.

O Amor nunca falha, e a vida não falhará enquanto houver Amor.

É isto que Paulo nos mostra: que, no fundo de todas as coisas criadas, o Amor está presente como o Dom Supremo — porque o Amor permanece, enquanto as coisas acabam.

O Amor está aqui, existe em nós agora, neste momento. Não é algo que nos venha a ser dado depois de morrermos. Ao contrário, teremos pouquíssimas chances de aprender o Amor quando estivermos velhos se não o buscarmos e o praticarmos agora.

O pior destino que um homem pode ter é viver e morrer sozinho, sem amar e sem ser amado.

Quem ama está salvo.

Quem não ama, nem é amado, está condenado.

E aquele que se alegra no Amor, se alegra em Deus, porque Deus é amor.

Estou quase acabando este longuíssimo sermão. Mas, antes, quero fazer uma proposta: quantos de vocês querem juntar-se a mim, para ler este trecho da carta aos coríntios, pelo menos uma vez por semana?

Quem quiser; que o faça durante os próximos três meses. Um homem assim o fez, e mudou completamente sua vida.

Ou então vocês podem começar por ler esta epístola uma vez por dia, principalmente os versos que descrevem a maneira de agir que combina com o Amor:

"O amor é paciente, é benigno, o amor não arde em ciúmes."

Coloquem estes ingredientes na vida de vocês. A partir daí, tudo o que fizerem passará a ser Eterno. Vale a pena dedicar um pouco de tempo para aprender a arte de Amar.

Nenhum homem se torna santo enquanto dorme; é necessário rezar, meditar.

Da mesma maneira, qualquer melhora, em qualquer sentido, requer preparação e cuidados.

Exijam de si mesmos: viver uma vida plena e correta. Se vocês olharem para trás, perceberão que os melhores e mais importantes momentos da vida foram aqueles onde estava presente o espírito do Amor.

Quando olhamos nosso passado — e não nos detemos nos prazeres transitórios da vida —, notamos que os momentos marcantes de nossa existência são aqueles em que vivíamos o amor; ou que, escondidos, fizemos algo de bom para alguém. Coisas às vezes tolas demais para serem contadas, mas que, por frações de segundo, nos fizeram sentir como se estivéssemos mergulhados na Eternidade.

Eu já vi quase todas as belas coisas que Deus criou. Já gozei quase todos os prazeres que um homem pode gozar. Mesmo assim, ao olhar meu passado, sobram apenas quatro ou cinco momentos — geralmente muito curtos — em que pude fazer uma pobre imitação do Amor de Deus.

São estes momentos que justificam minha vida. Todo o resto é passageiro. Qualquer outro bem ou virtude é apenas uma ilusão. Estes pequenos atos de Amor que ninguém reparou, que ninguém conhece, justificam minha vida.

Porque o amor permanece.

Mateus nos dá uma descrição clássica do Juízo Final: o Filho do Homem senta-se em um trono, e separa, como um pastor, os cabritos das ovelhas.

Neste momento, a grande pergunta do ser humano não será: "Como eu vivi?"

Será, isto sim: "Como amei?"

O teste final de toda busca da Salvação, será o Amor. Não será levado em conta o que fizemos,

em que acreditamos,

o que conseguimos.

Nada disso nos será cobrado. O que nos será cobrado: nossa maneira de amar o próximo.

Os erros que cometemos nem sequer serão lembrados. Seremos julgados pelo bem que deixamos de fazer. Pois manter o Amor trancado dentro de si é ir contra o espírito de Deus, é a prova de que nunca O conhecemos, de que Ele nos amou em vão, de que Seu Filho morreu inutilmente.

Deixar de Amar significa dizer que Deus jamais inspirou nossos pensamentos, nossas vidas, e que nunca chegamos perto Dele o suficiente para sermos tocados por seu exuberante Amor. Significa que

"eu vivi por mim mesmo, pensei por mim [mesmo,
por mim mesmo, e ninguém mais —
como se Jesus jamais tivesse vivido,
como se Ele jamais tivesse morrido."

É diante de Deus que as nações do mundo serão reunidas. É na presença de todos os outros homens que seremos julgados.

E cada homem julgará a si mesmo.

Ali estarão presentes aqueles que encontramos e ajudamos. Ali também vão estar aqueles que desprezamos e negamos. Não há necessidade de chamar qualquer Testemunha, pois nossa própria vida se encarregará de mostrar, na frente de todos, o que fizemos.

Nenhuma outra acusação — além da falta de Amor — será proferida.

Não se enganem; as palavras que neste Dia ouviremos não virão da teologia, não virão dos santos, não virão das igrejas.

Virão dos famintos e dos pobres.

Não virão dos credos e das doutrinas.

Virão dos desnudos e desabrigados.

Não virão das Bíblias e dos livros de orações.

Virão dos copos de água que damos ou deixamos de dar.

Quem é Cristo?

É aquele que alimentou os pobres, vestiu os nus, e visitou os doentes.

Onde está Cristo?

"Todo aquele que receber uma criancinha destas em seu nome, também me recebe."

E quem está com Cristo?

Aquele que ama.

Quando o rapaz acabou de falar, o sol já havia se posto. As pessoas se levantaram, em silêncio, e foram para as suas casas. Nunca mais, pelo resto de suas vidas, esqueceriam aquele dia. Haviam sido tocadas pelo Dom Supremo, e desejaram, naquele instante, que aquela tarde fosse lembrada por muito tempo.

''Embora não possa ser lembrada para sempre'', pensou um deles, consigo mesmo.

Porque, como bem havia dito o rapaz,

só o Amor permanece.

Este livro foi composto pela Linolivro S/C
Rua Dr. Odilon Benévolo, 189 – Benfica – Rio – RJ
e impresso na Editora Vozes Ltda.,
Rua Frei Luís, 100 – Petrópolis – RJ
em dezembro de 1991
para a Editora Rocco Ltda.